Tapisserie en Fleurs

Je tiens à remercier tous ceux qui ont participé à ce livre

et plus spécialement Nouchka Pathé.

Mes remerciements vont également à Véronique Enginger

pour ses magnifiques quadrillages qui interprètent parfaitement l'esprit des dessins,

et à tous ceux qui m'ont constamment encouragé et aidé.

DIRECTRICE DE COLLECTION
Nouchka Pathé

STYLISME
Dominique Turbé

MAQUETTE
Nadine Sévin

IMPRIMÉ en Italie

Dépôt légal : 2e trimestre 2001
ISBN : 2-283-58457 - 4

José Ahumada

Photographies de Xavier de Bascher

Le Temps Apprivoisé
18, rue de Condé
75006 paris

Sommaire

Préface

Je crois que le moment est propice pour donner une nouvelle jeunesse au petit point. Ces tapisseries en fleurs, si joliment colorées, vont apporter une touche de gaieté et une sensation de fraîcheur dans votre décoration.

Ces modèles s'adaptent à toutes sortes d'ouvrages et vous pourrez les utiliser individuellement ou les assembler, selon votre imagination, pour créer un décor personnalisé.

J'espère que vous prendrez plaisir à les exécuter et que ces pages transmettront ce qui anime mon jardin où des sylphides parées de somptueuses robes colorées dansent sur des symphonies imaginaires...

Anémone

Symbole	N°	Symbole	N°
○	7361	◇	7946
	7362	+	7740
●	7426	/	7436
—	7548	·	7971
	7547	■	7535
	7988		7515
▲	7110		7066
	7108	•	7458
W	7849		7917
	7606		

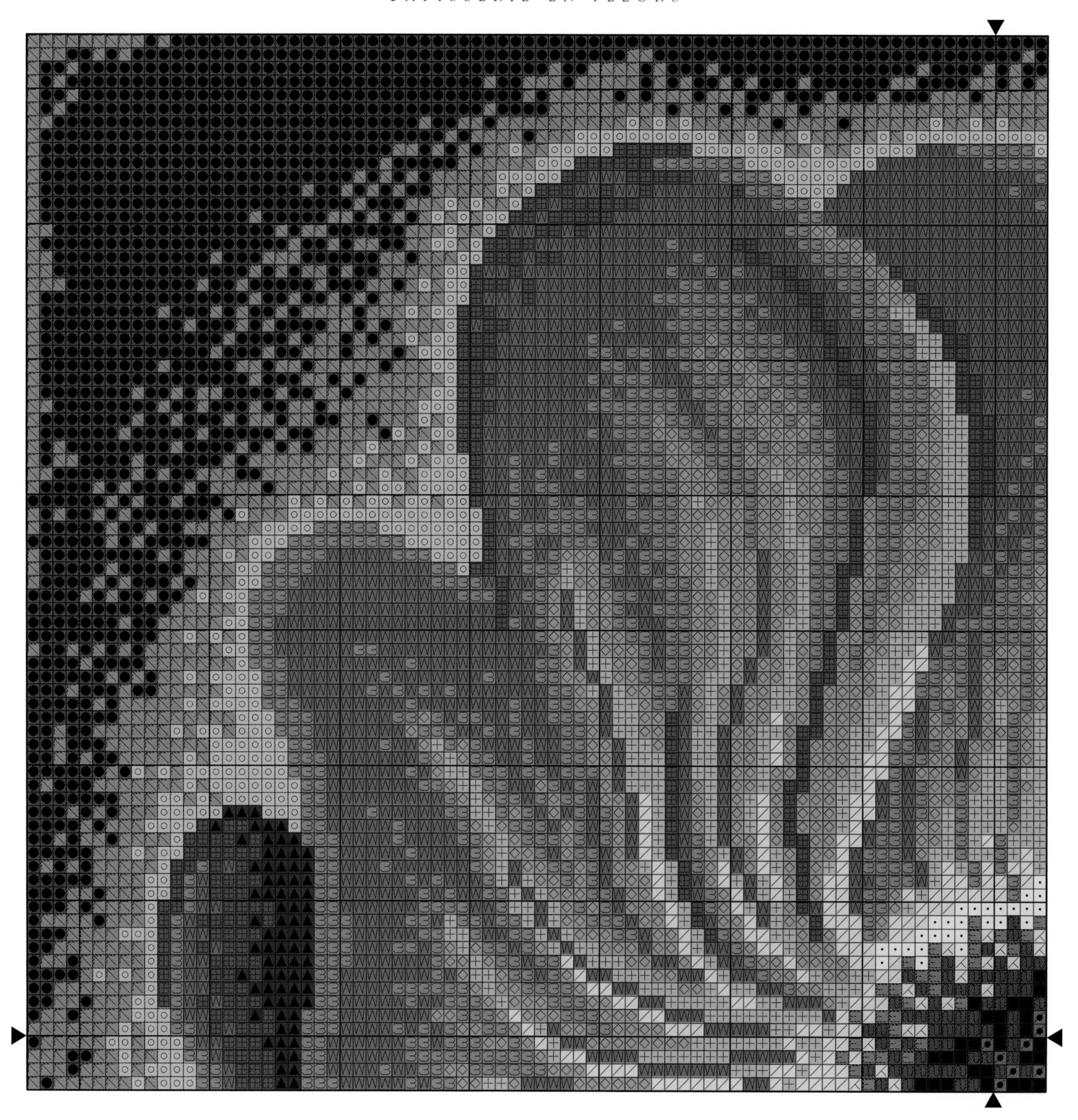

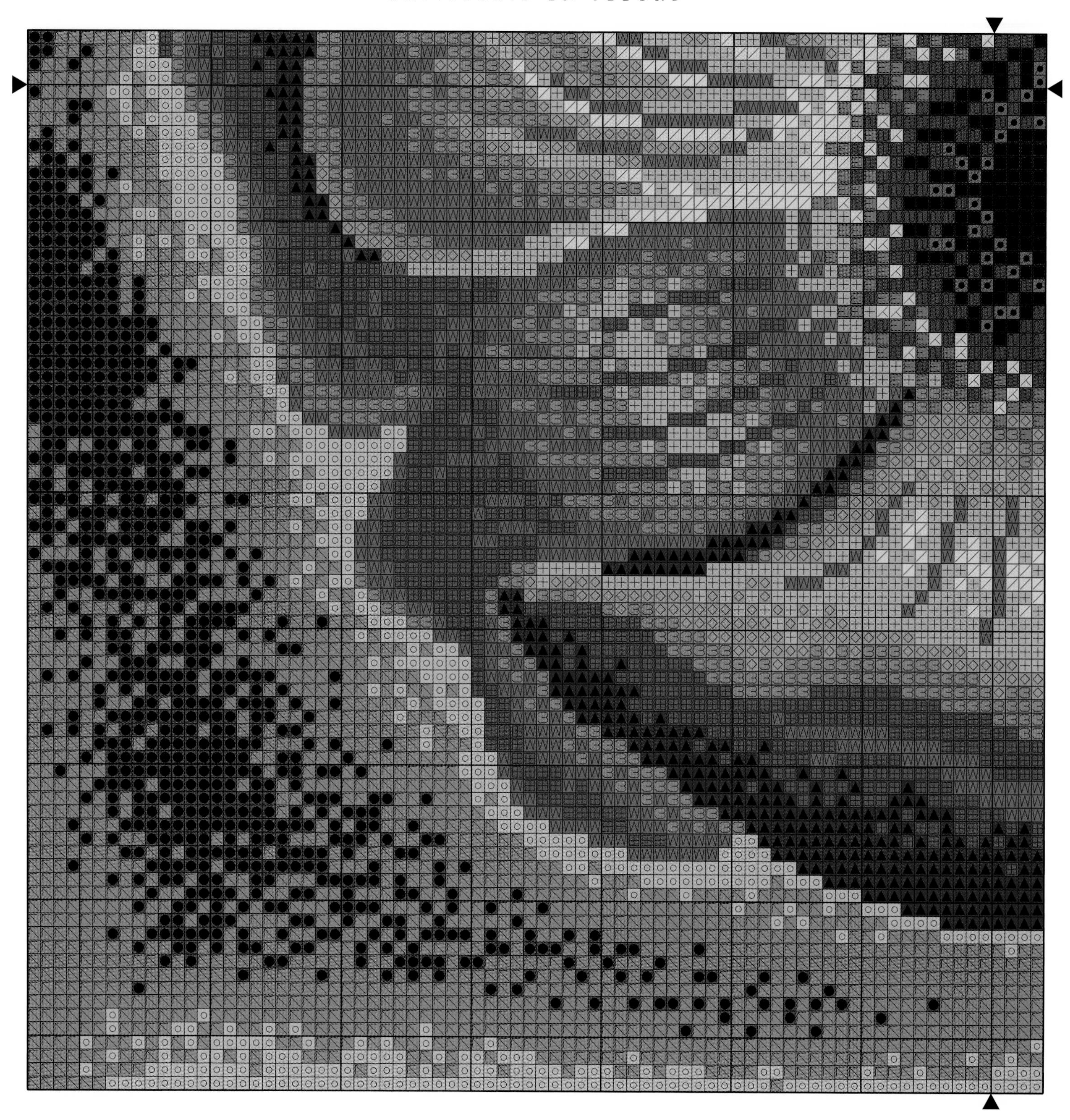

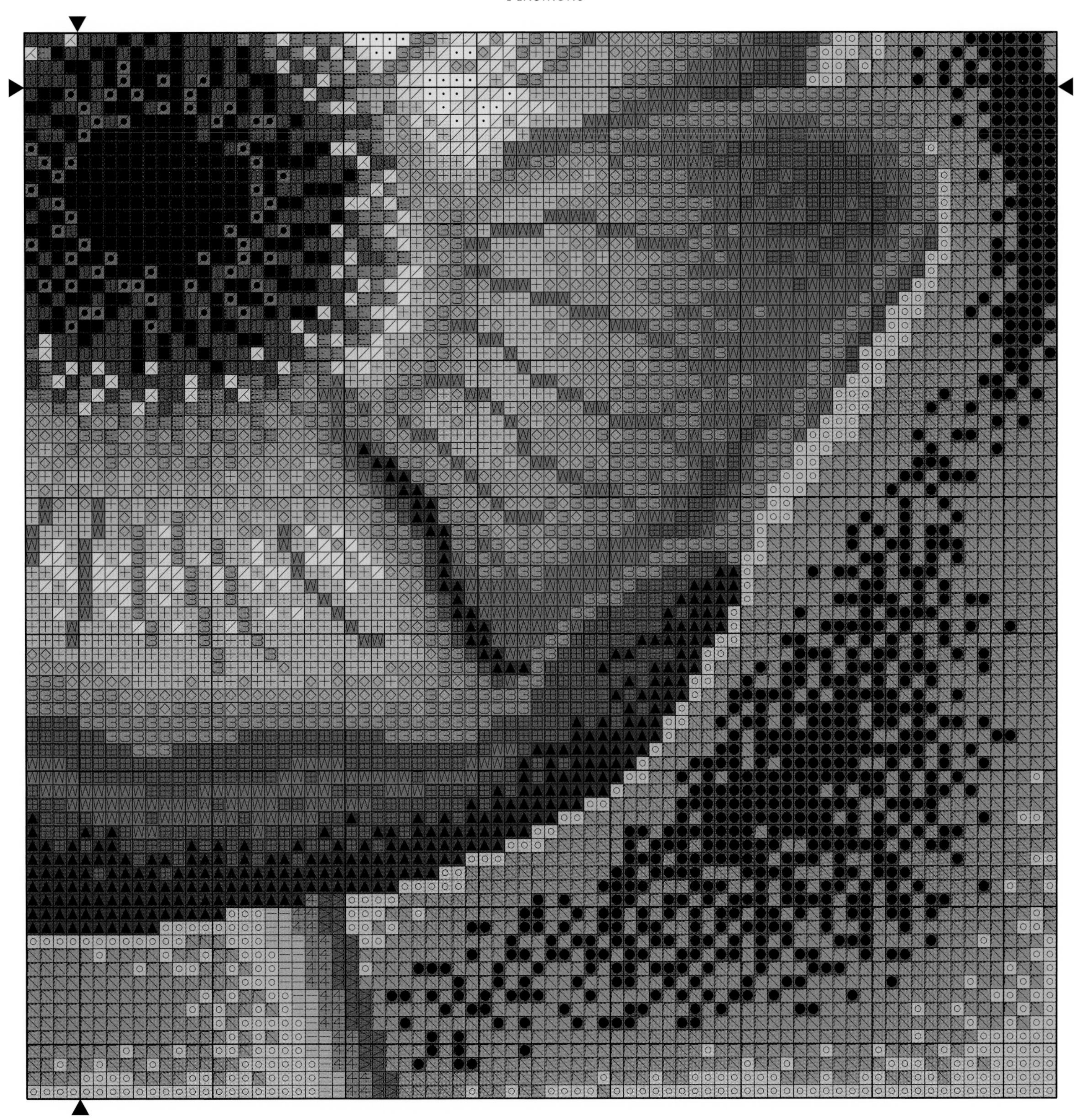

Iris

7436	7895
7726	7017
écru	7245
7251	7909
7253	7912
7014	7958
7255	7043
7153	7344
7804	7341
7605	7340

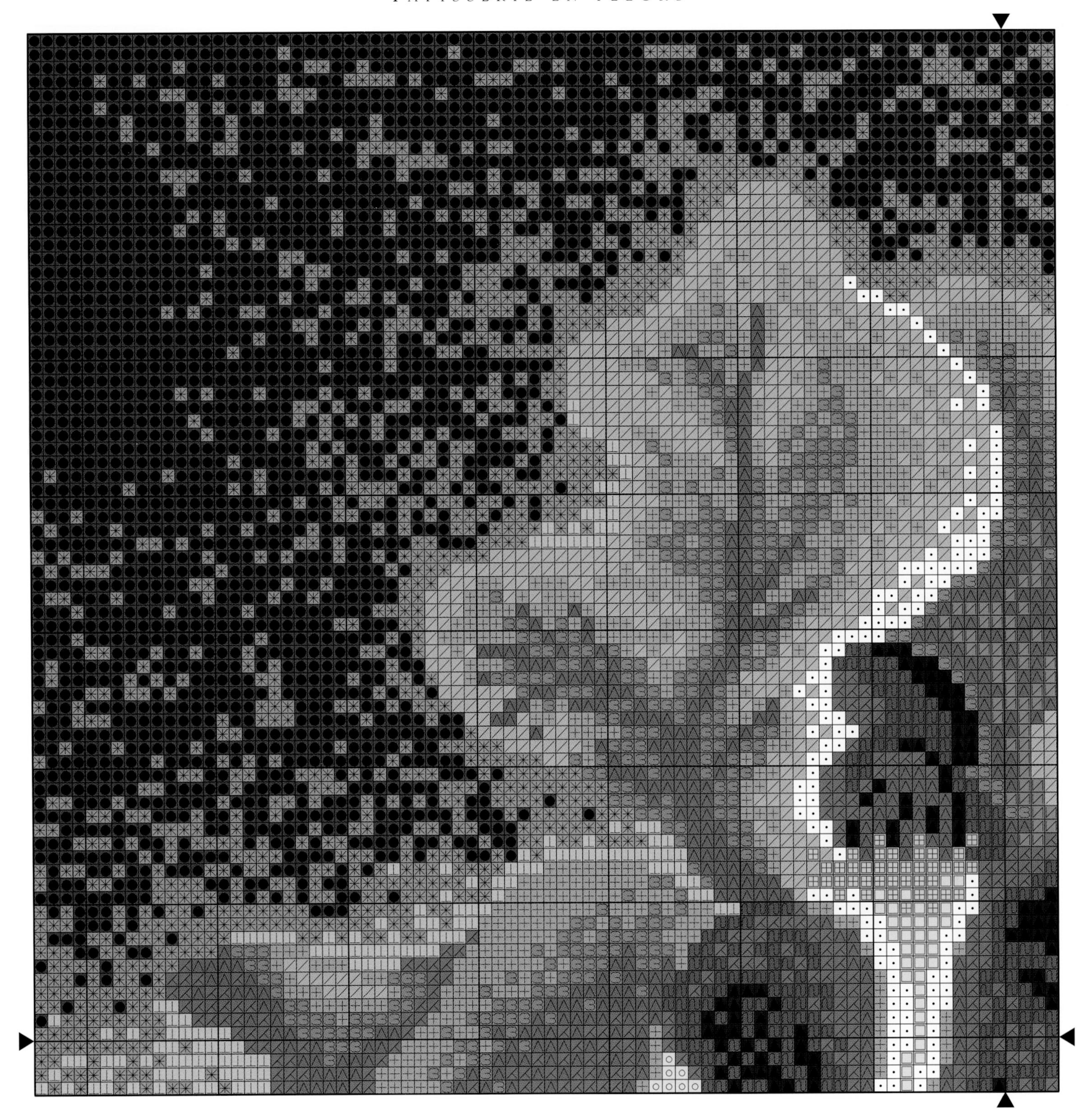

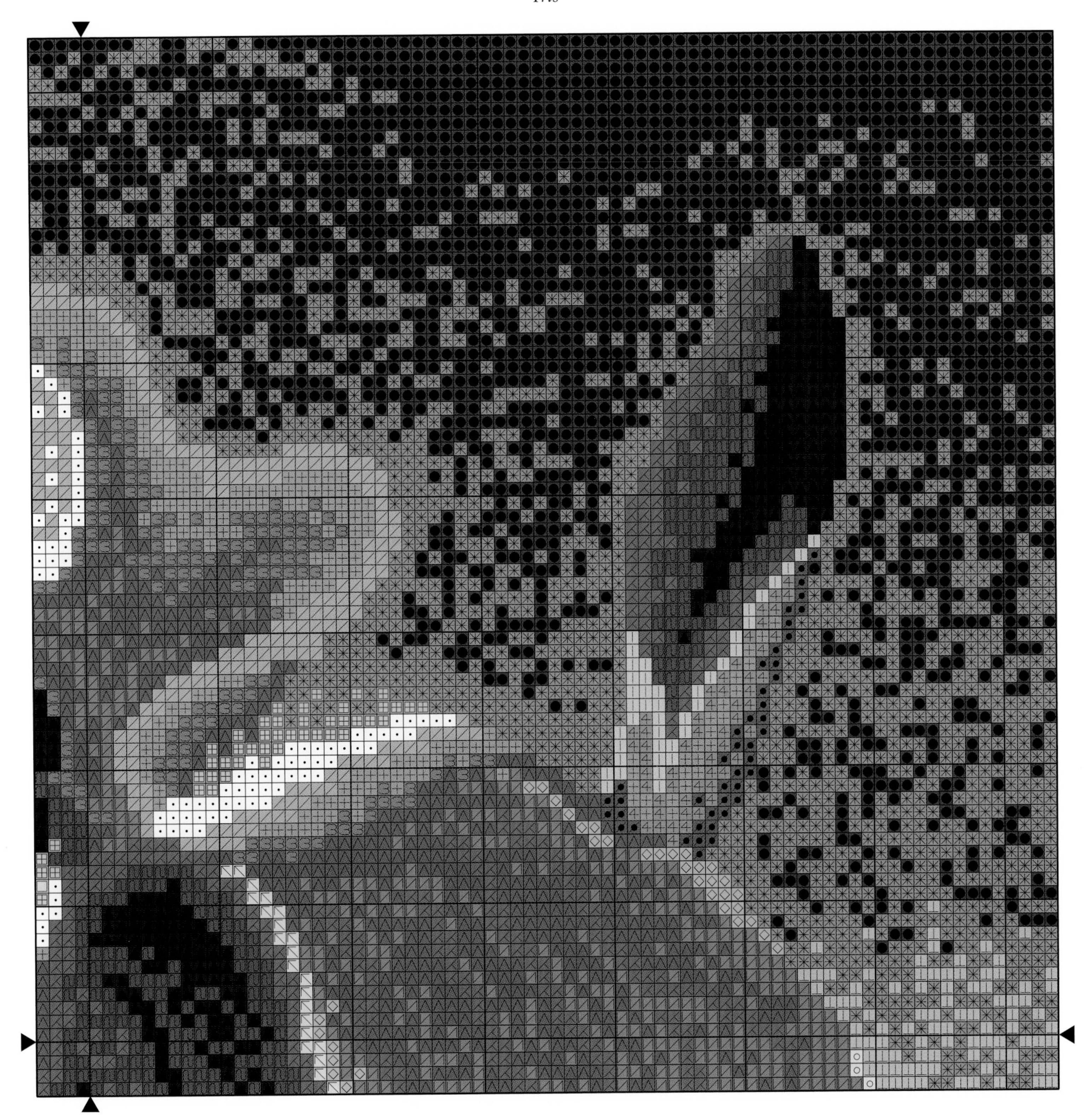

Lisianthus

7727	7804
7050	7603
7053	7157
7852	7153
écru	7640
7024	7666
7025	7106
7895	7344
7132	7341
7605	7340

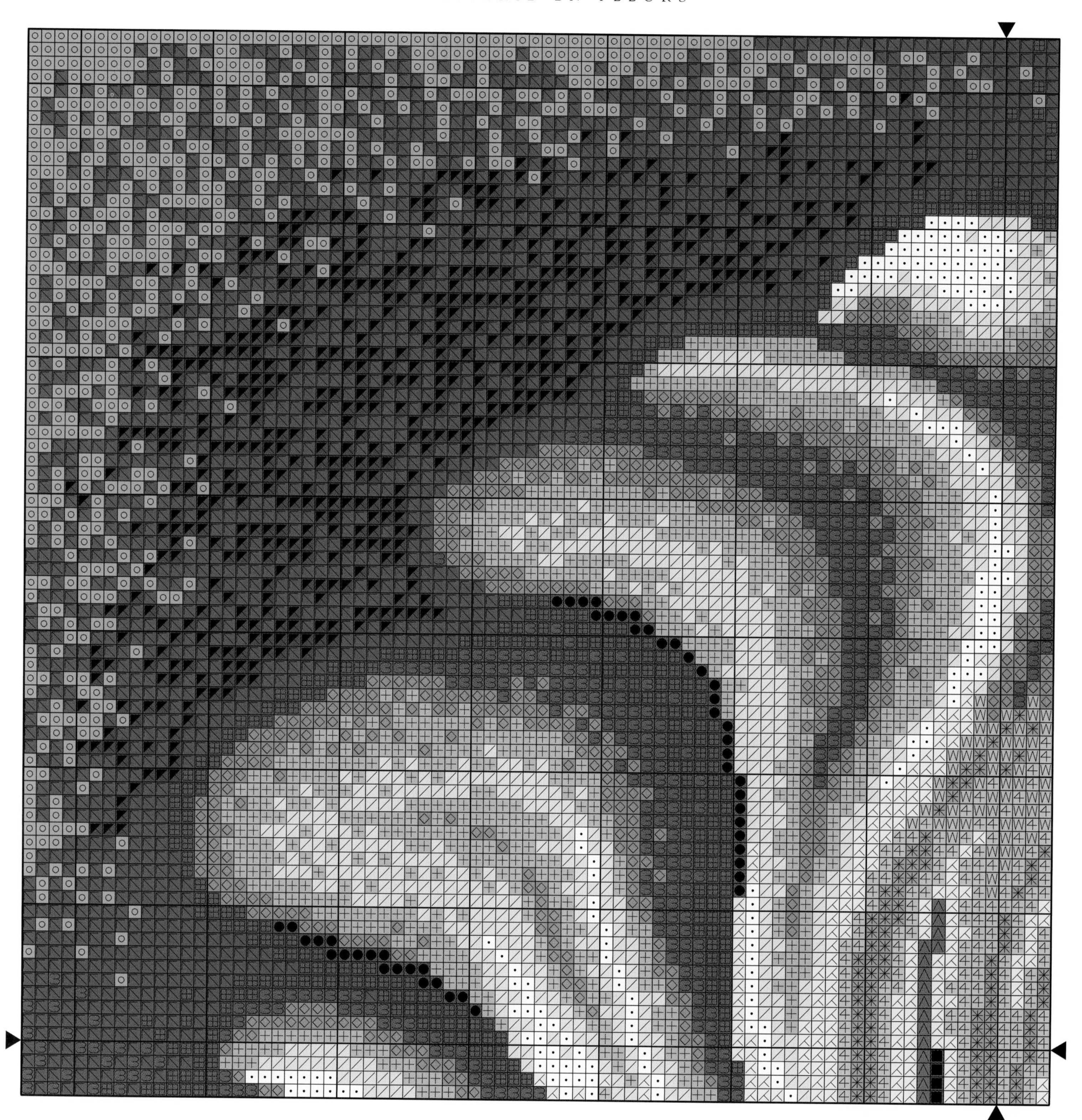

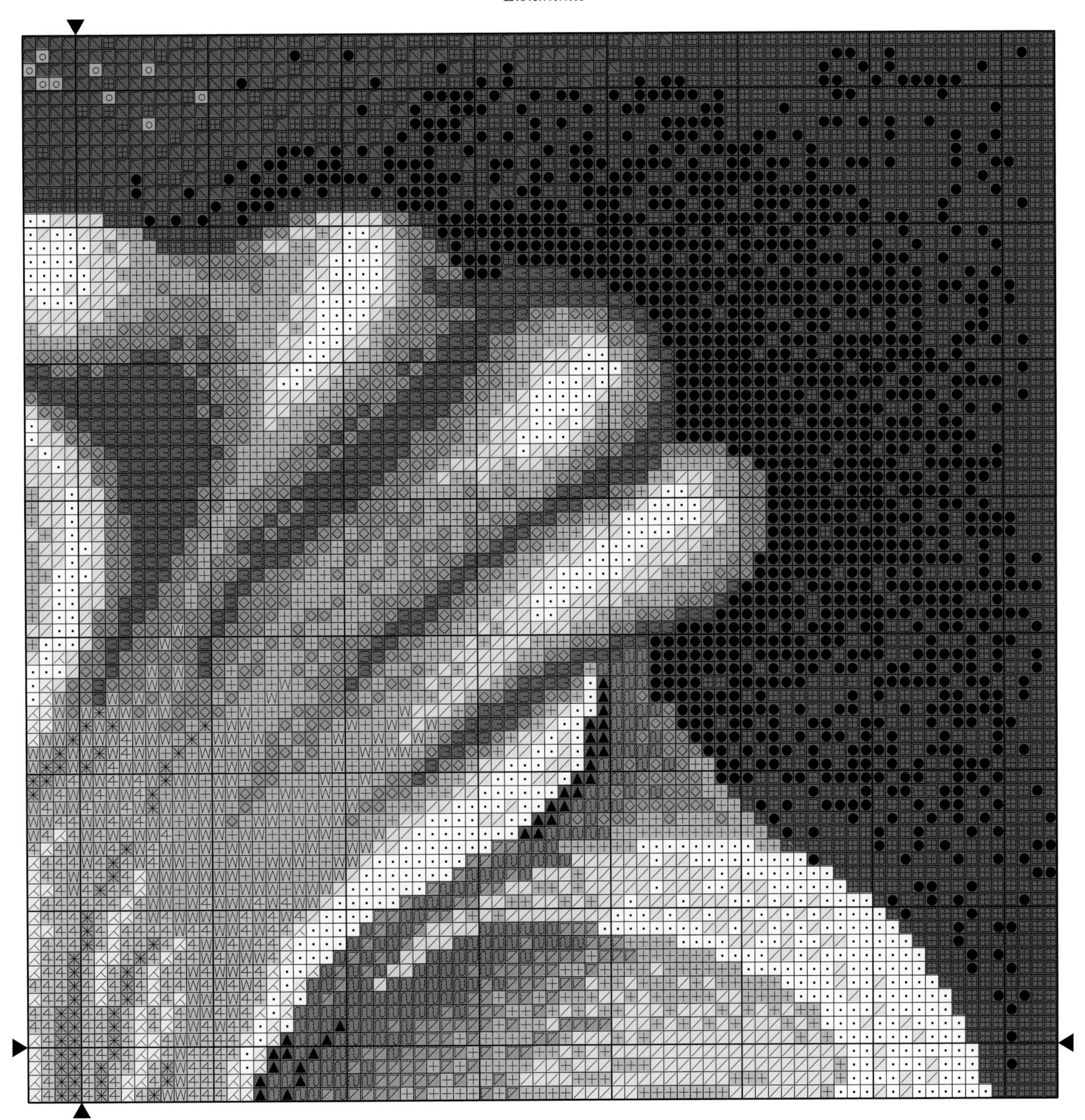

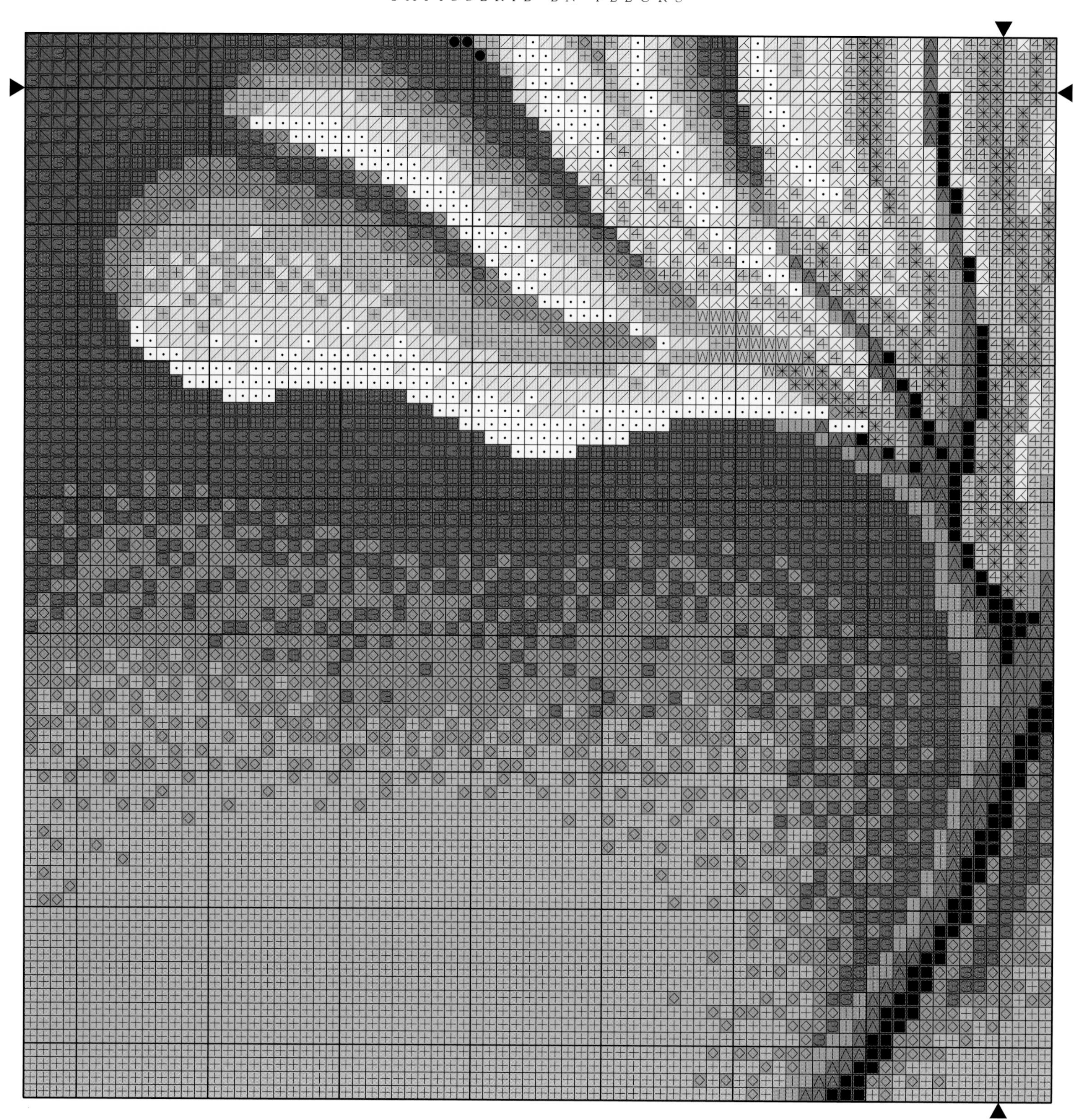

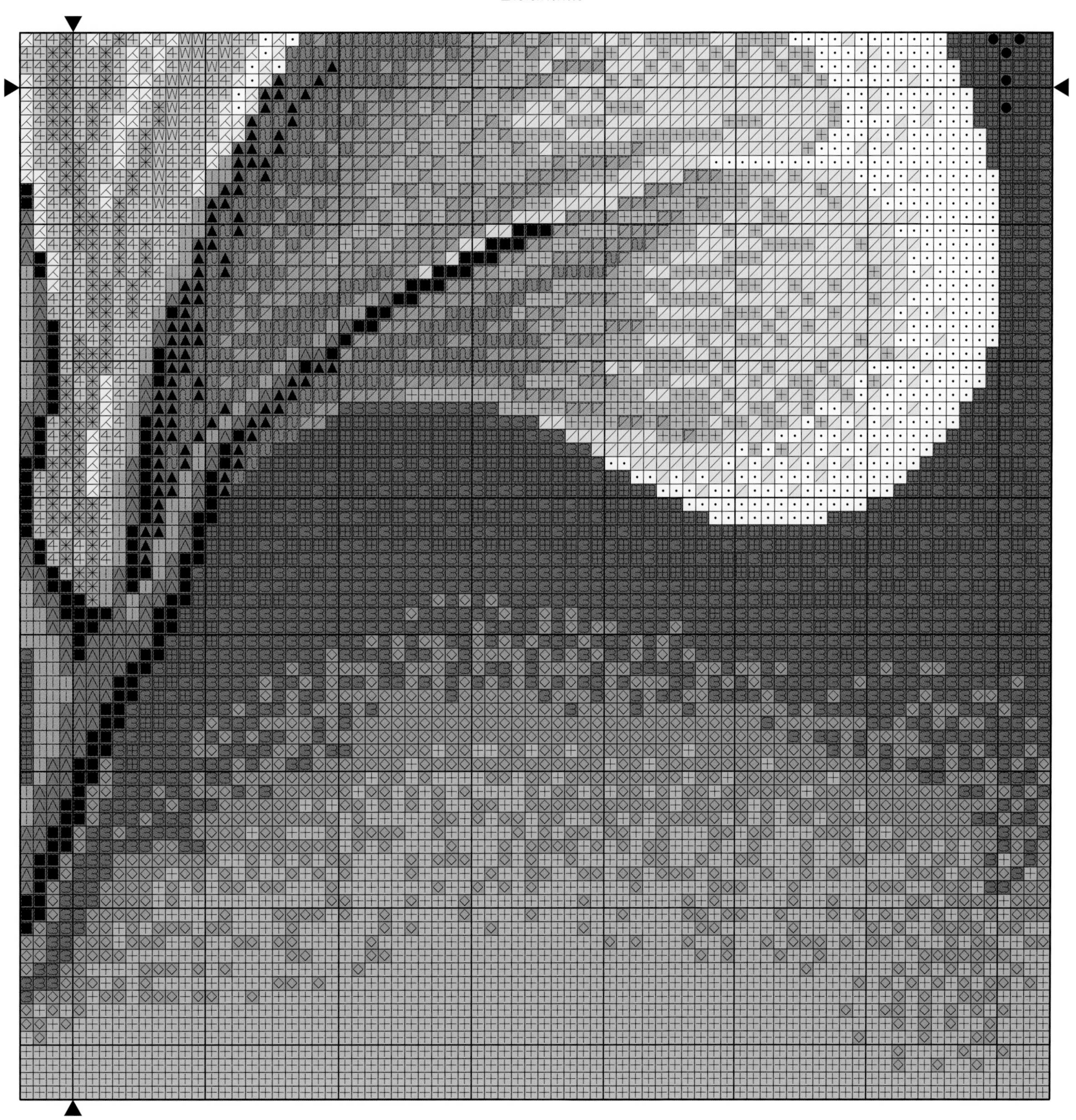

Nigelle

7679	7153
7584	7797
7351	7020
7771	7032
7770	7018
7341	7026
7342	7025
7344	7021
7157	

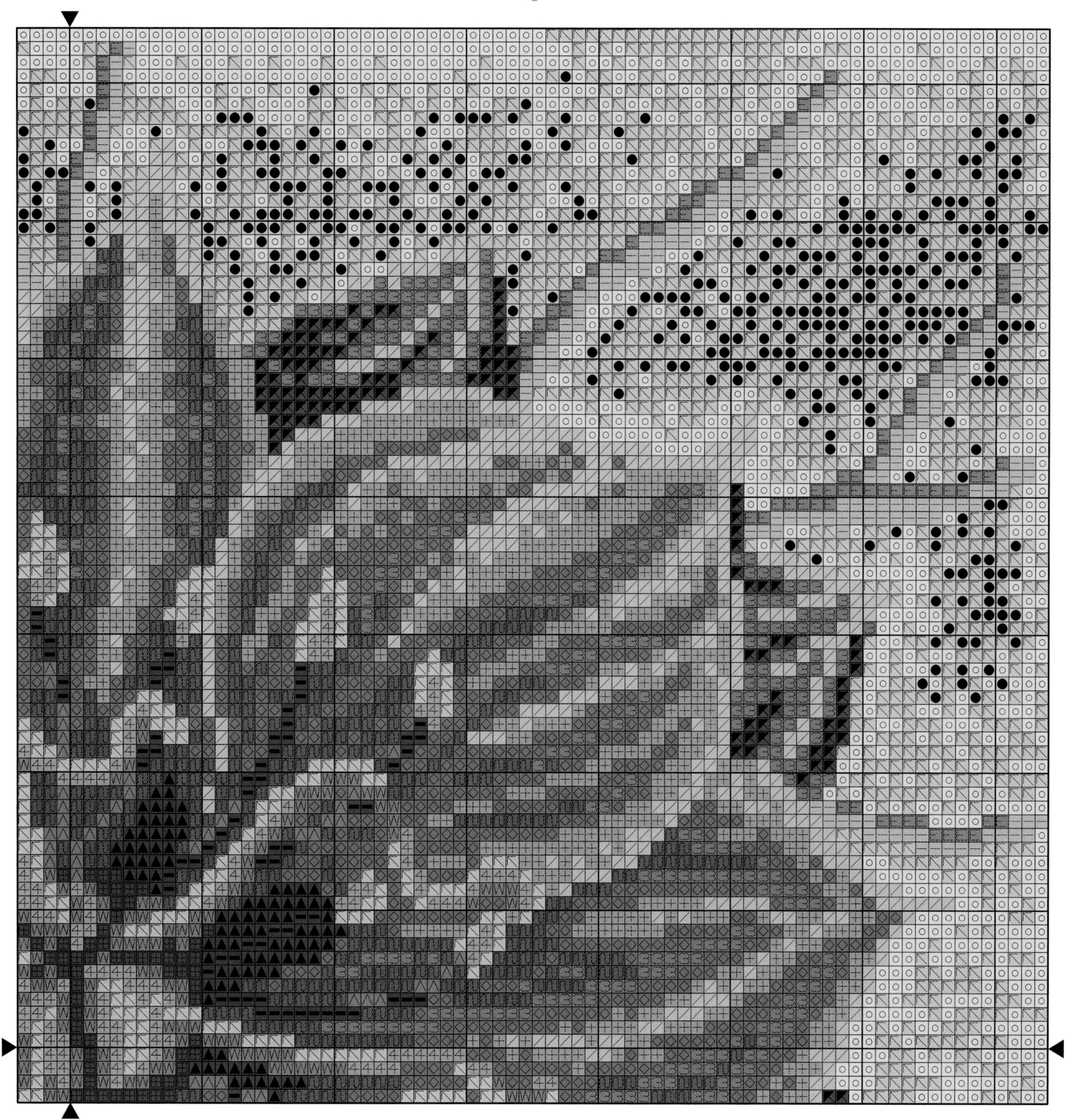

Orchidée

écru	7132
7745	7004
7049	7135
7493	7640
7223	7138
7549	7996
7771	7995
7341	7317
7433	7797
7435	7796
7971	

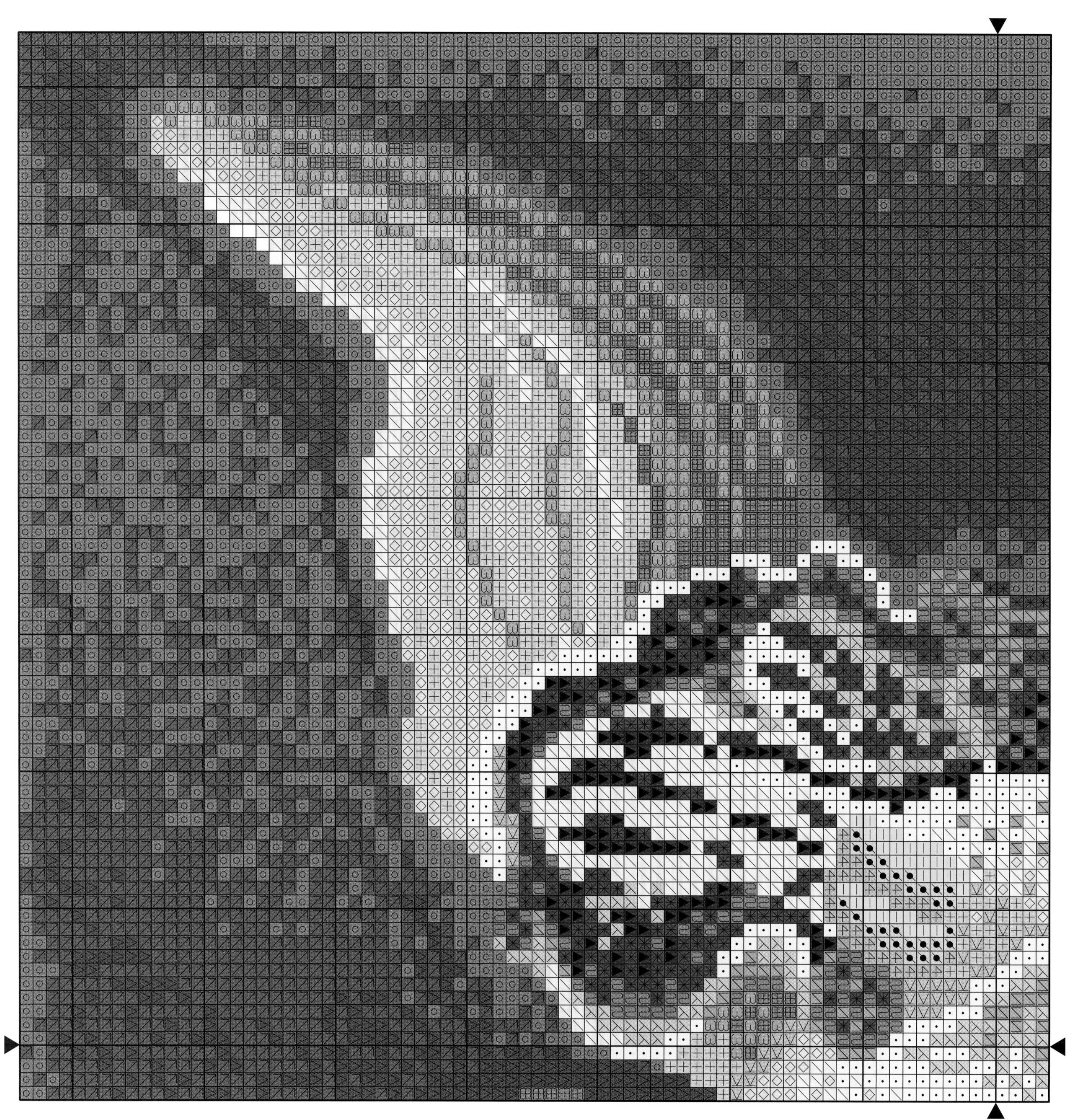

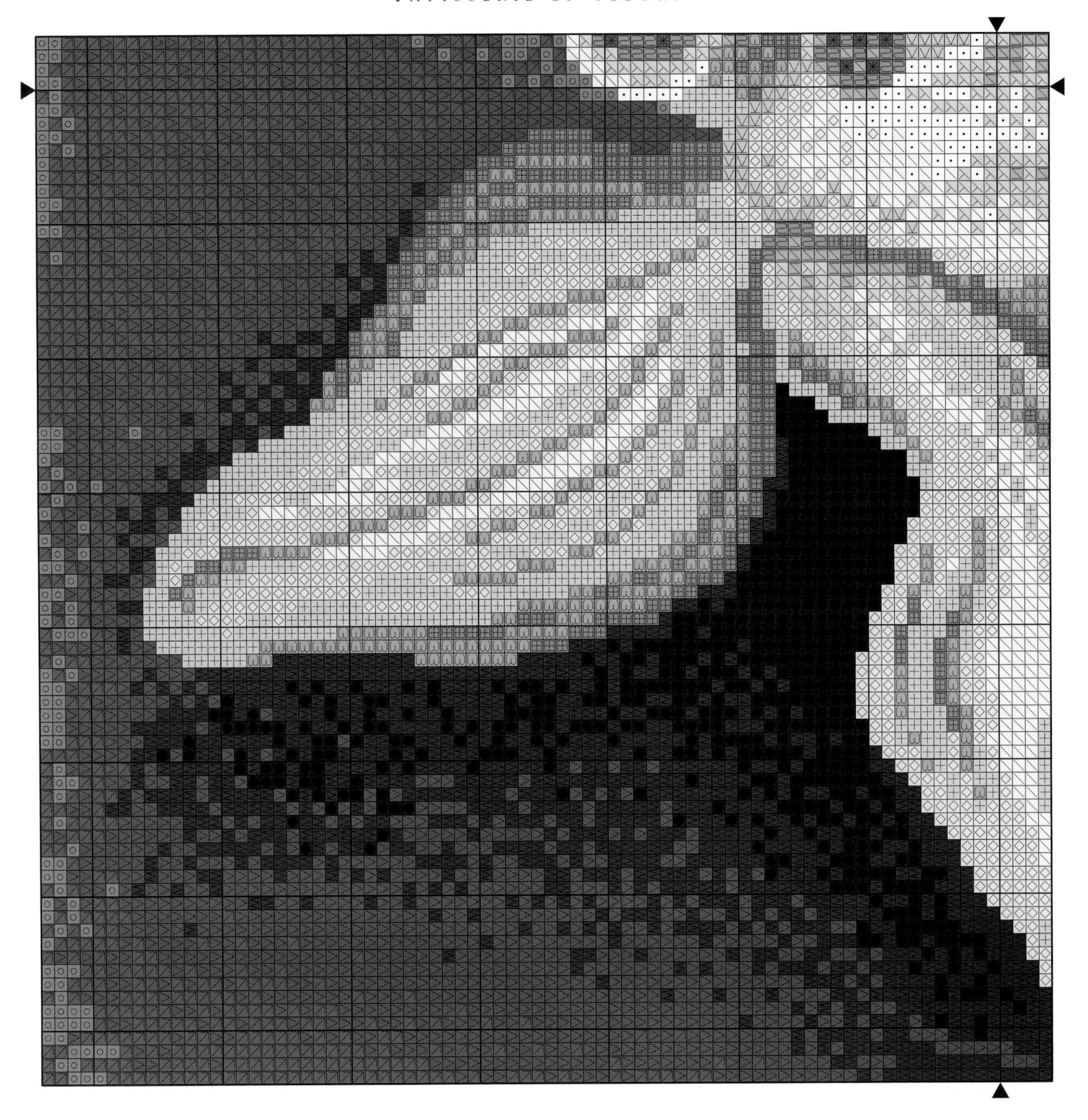

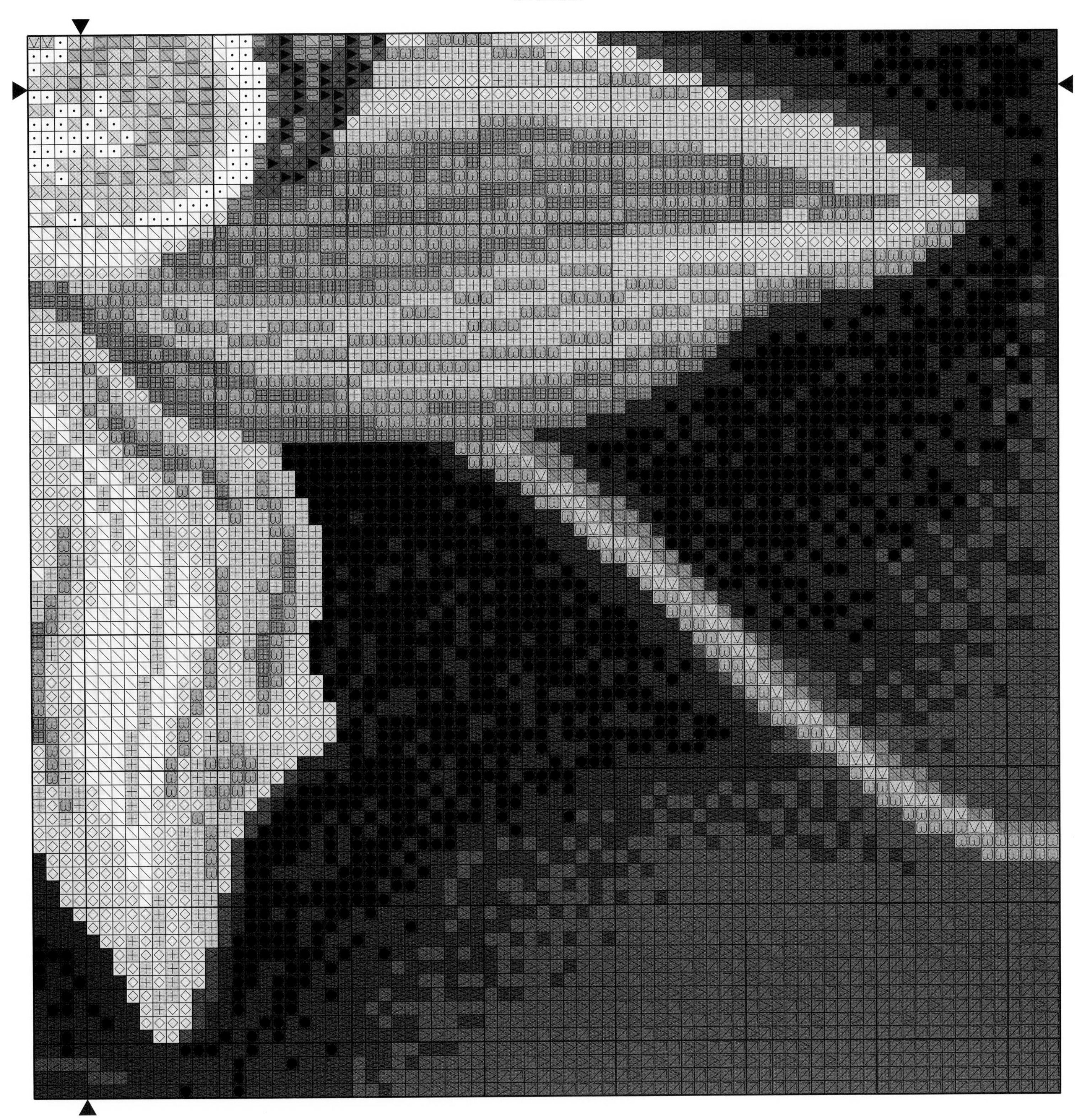

Pavot

7431	7375
7433	7372
7785	7245
écru	7017
7132	7603
7151	7595
7153	7037
7157	7996
7139	7995

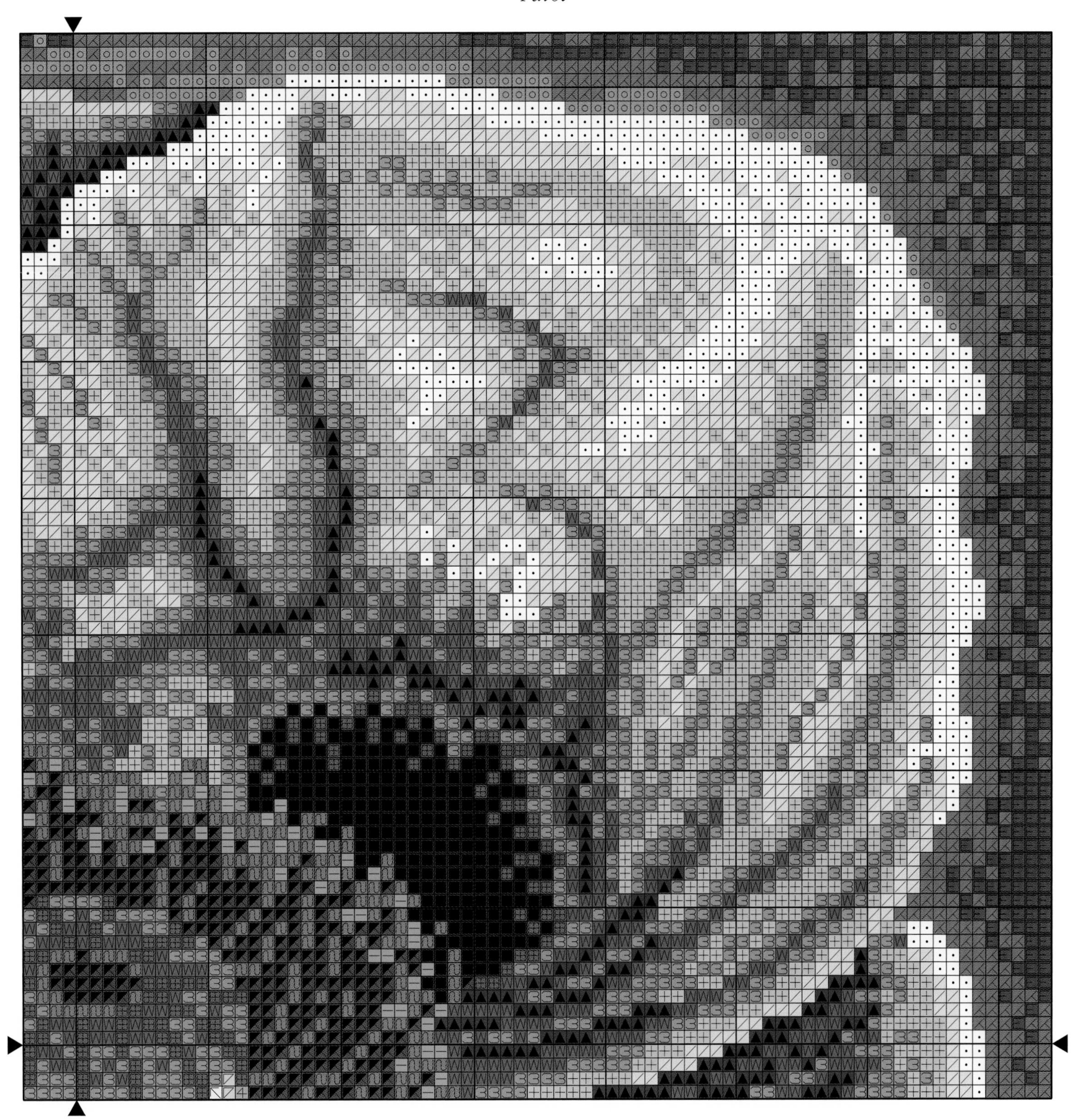

Pensée

■	7245	⊟	7049
■	7017	⊡	écru
●	7895	■	7043
◇	7896	◩	7042
▬	7740	◸	7041
✳	7971	●	7583
⊞	7435	◪	7548
⊞	7433	○	7549

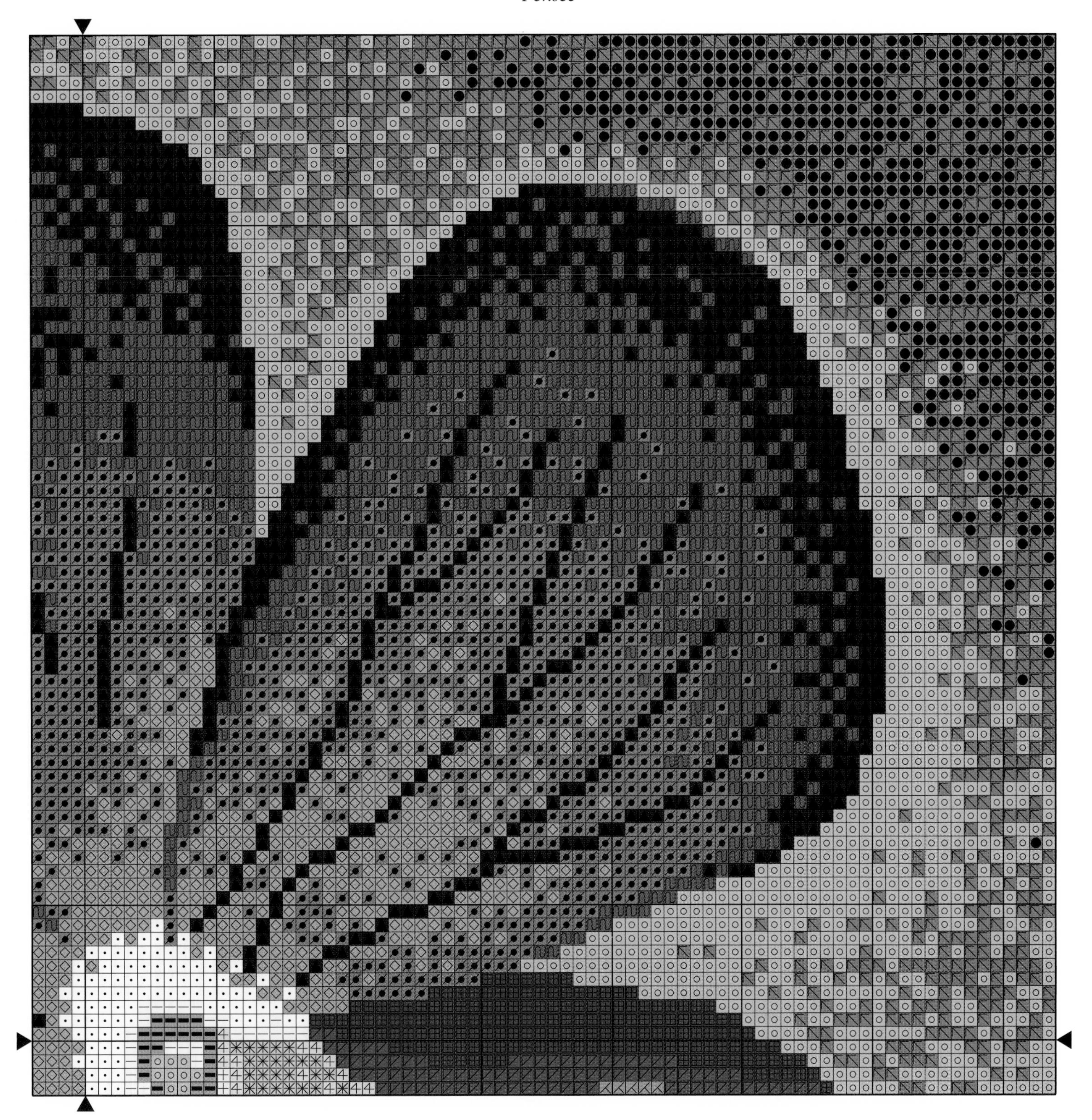

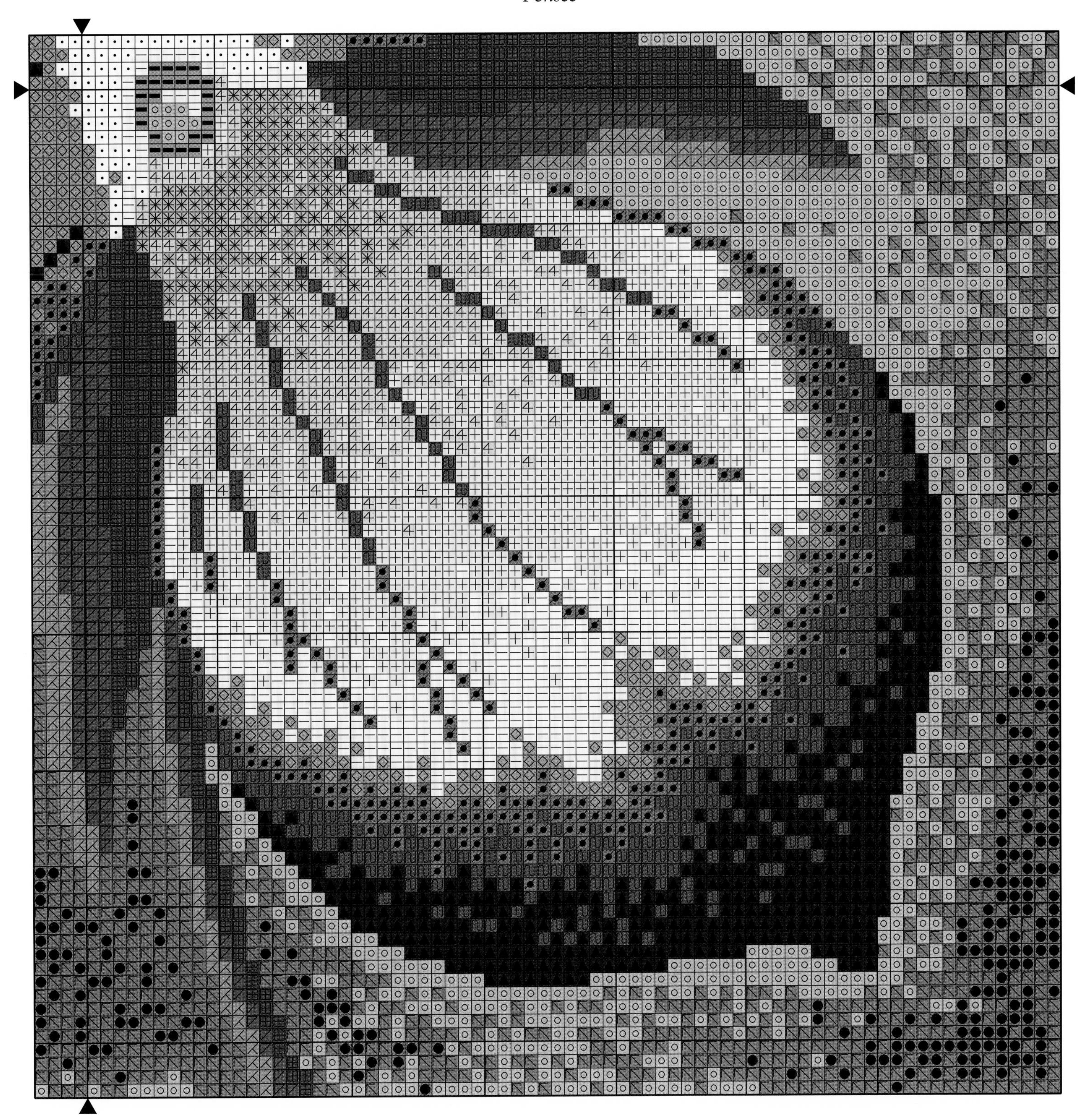

Pois de senteur

7191	7344
7003	7346
7605	7340
7804	7549
7603	7041
7136	7042
7772	

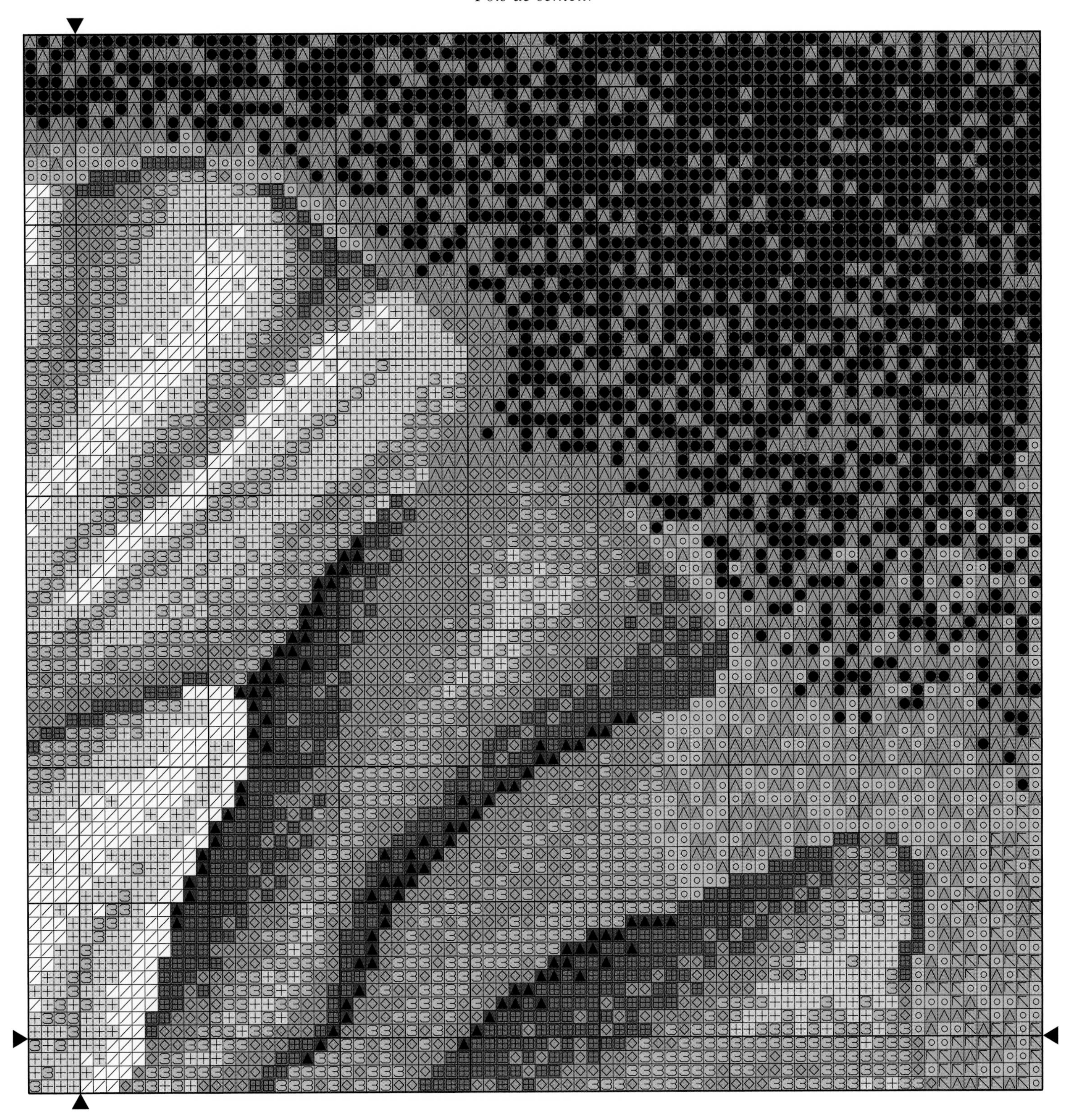

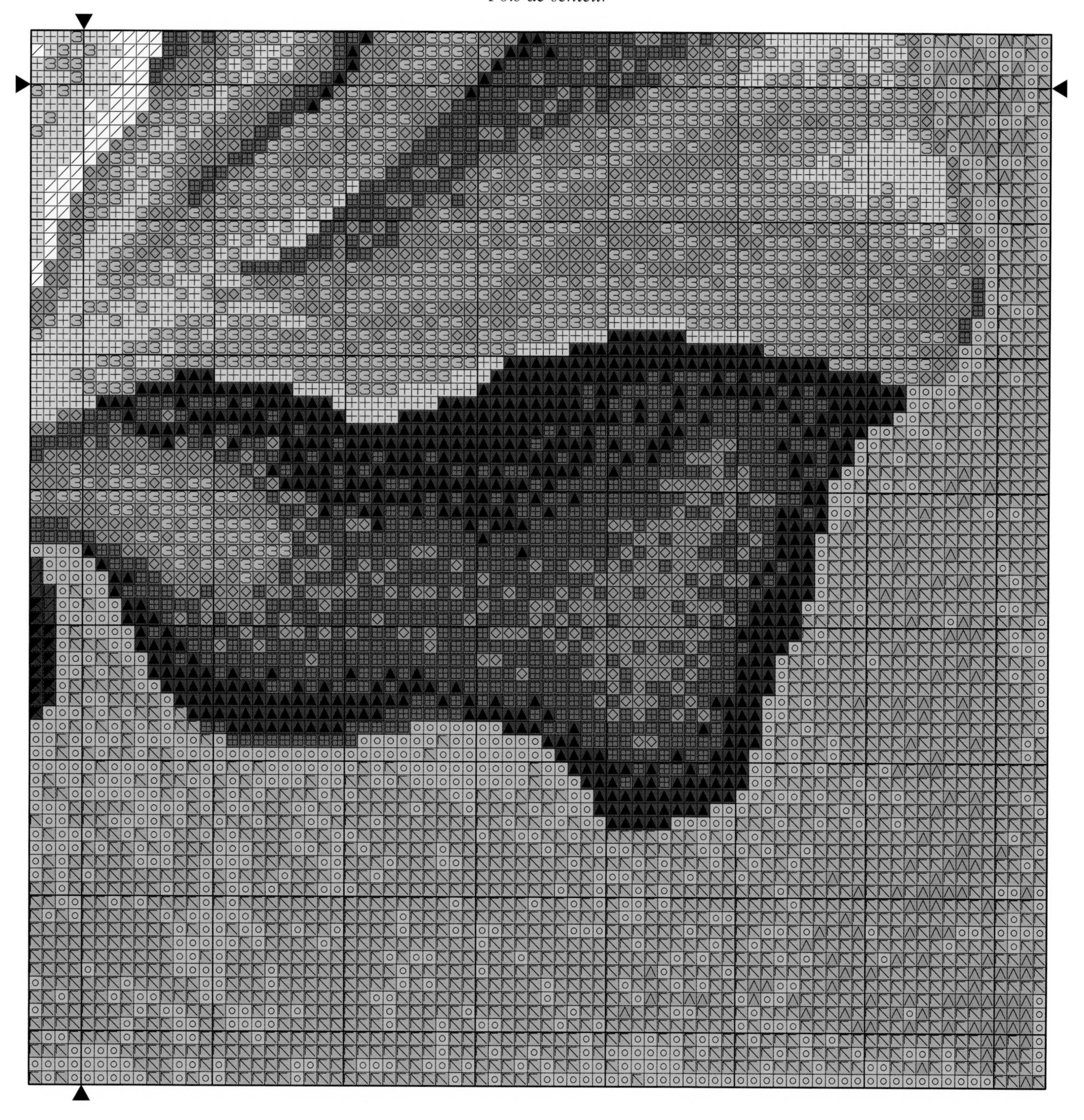

Tulipe

écru	7947
7745	7344
7727	7342
7726	7341
7971	7042
7436	7909
7740	7596

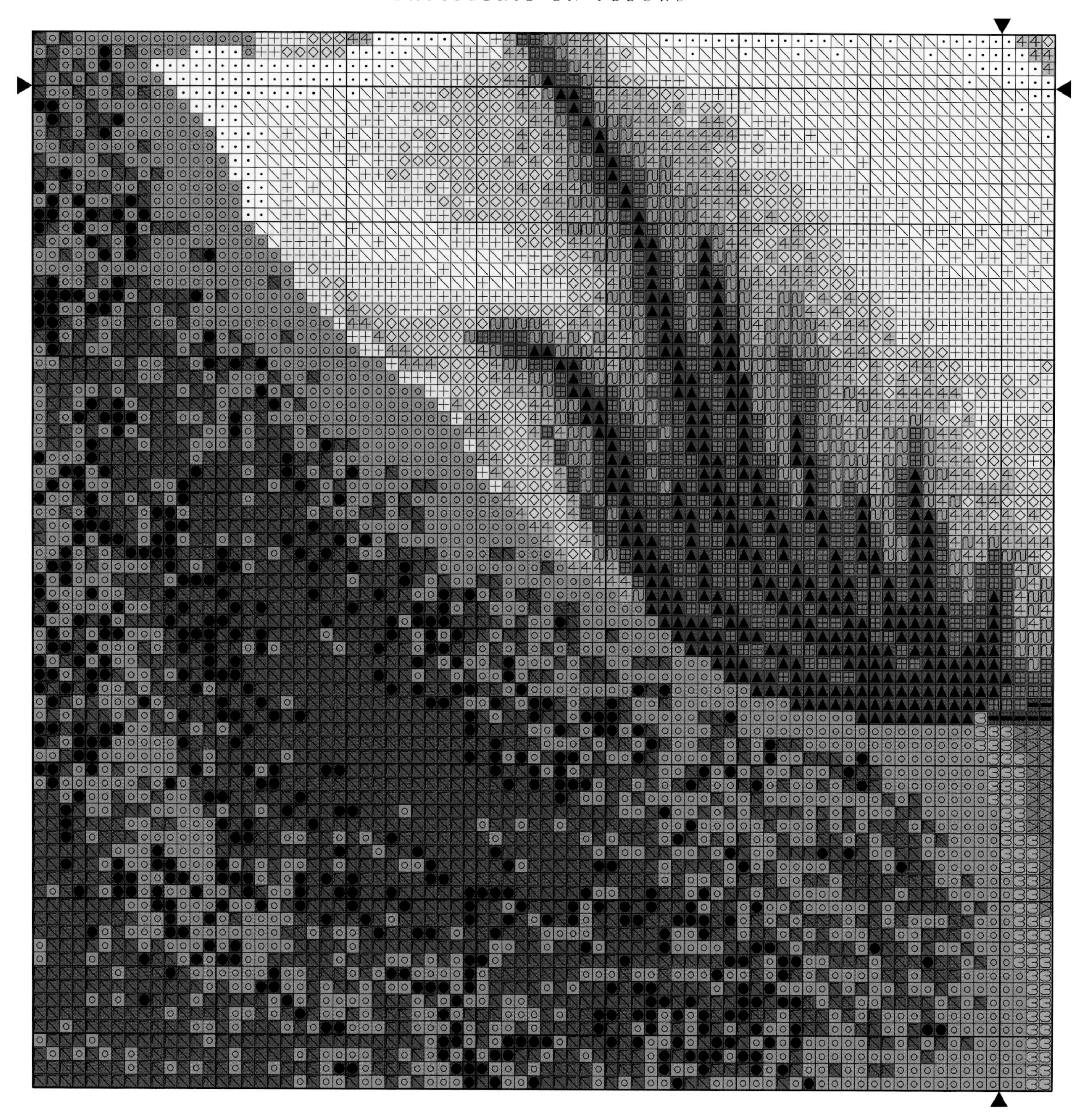

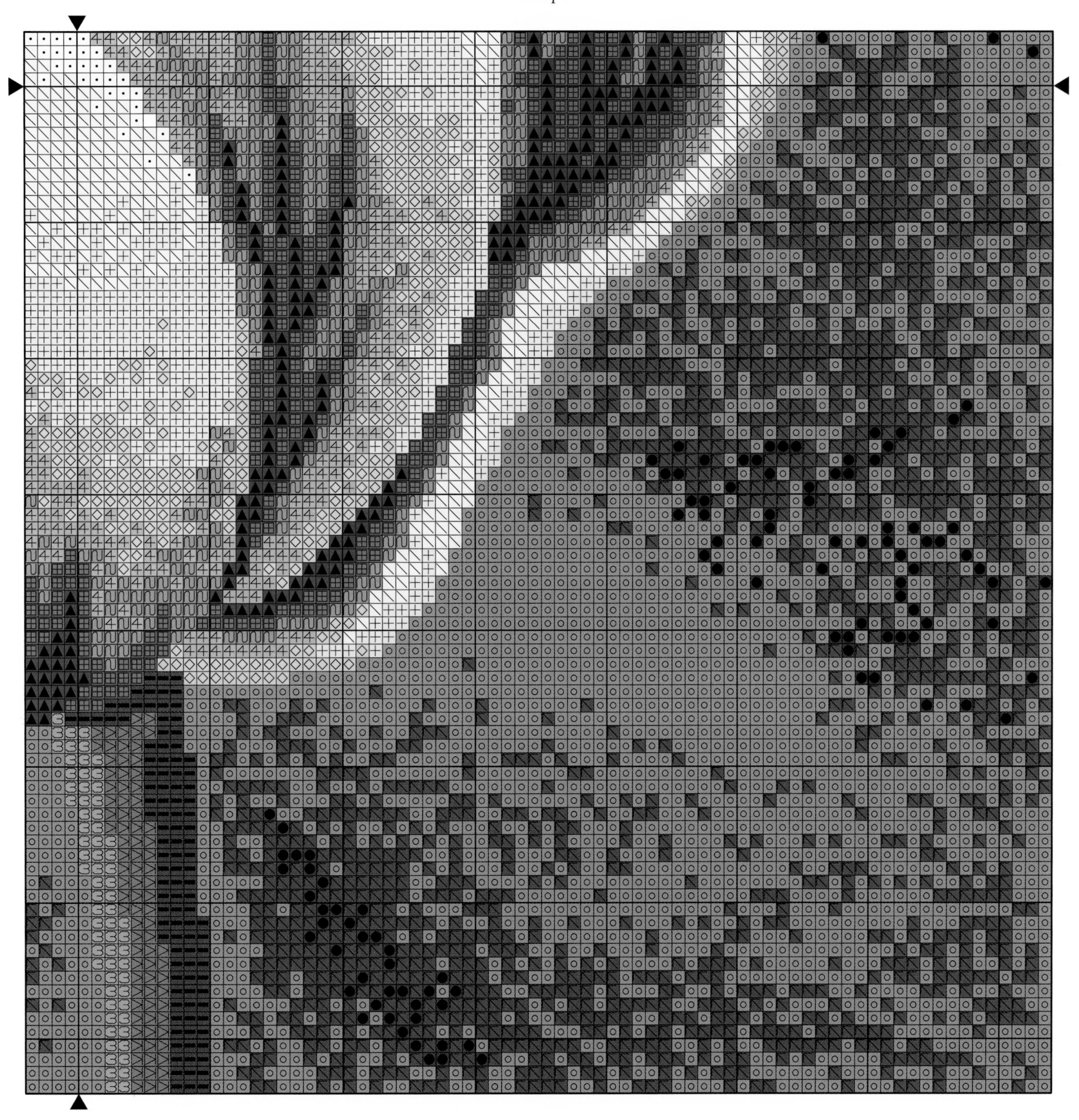

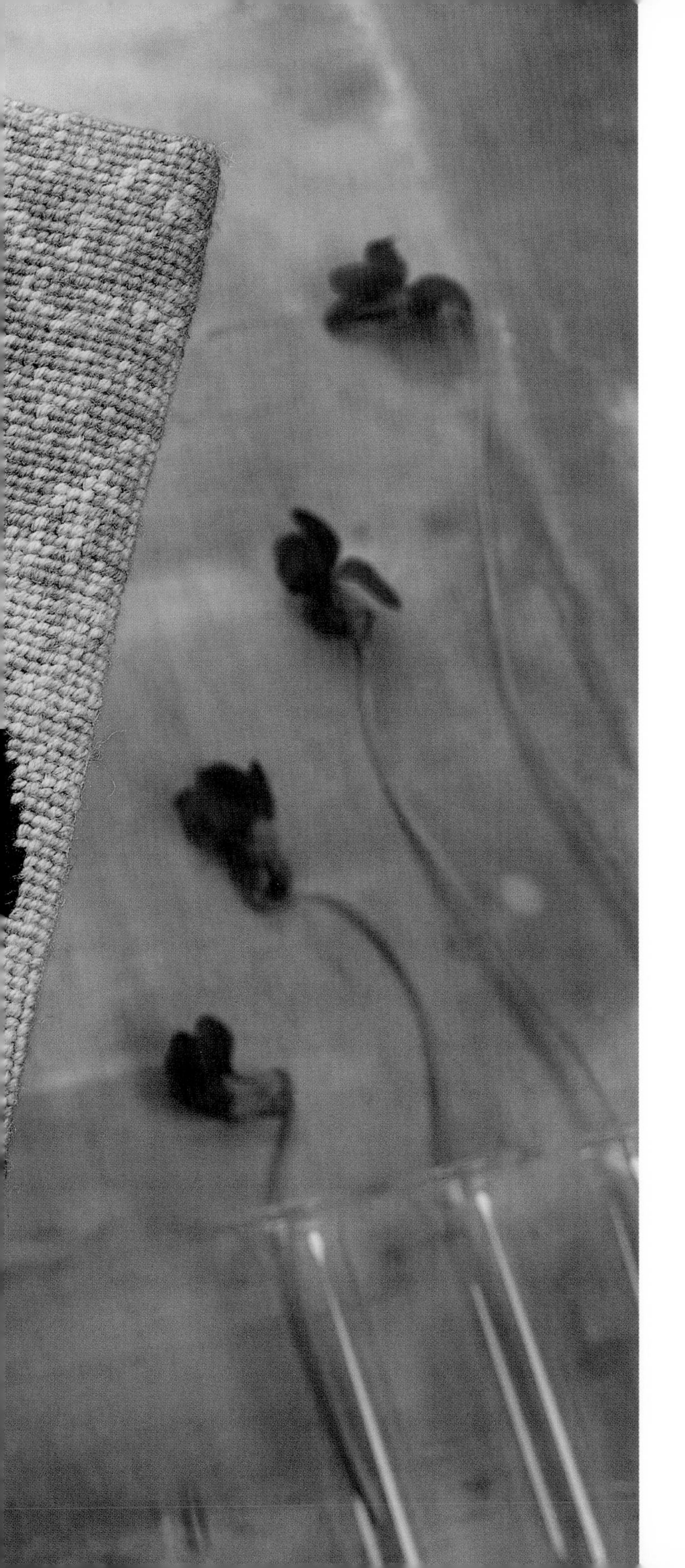

Violette

écru	7006
7024	7053
7025	7043
7026	7042
7243	7041
7022	7341
7245	7340
7895	7549

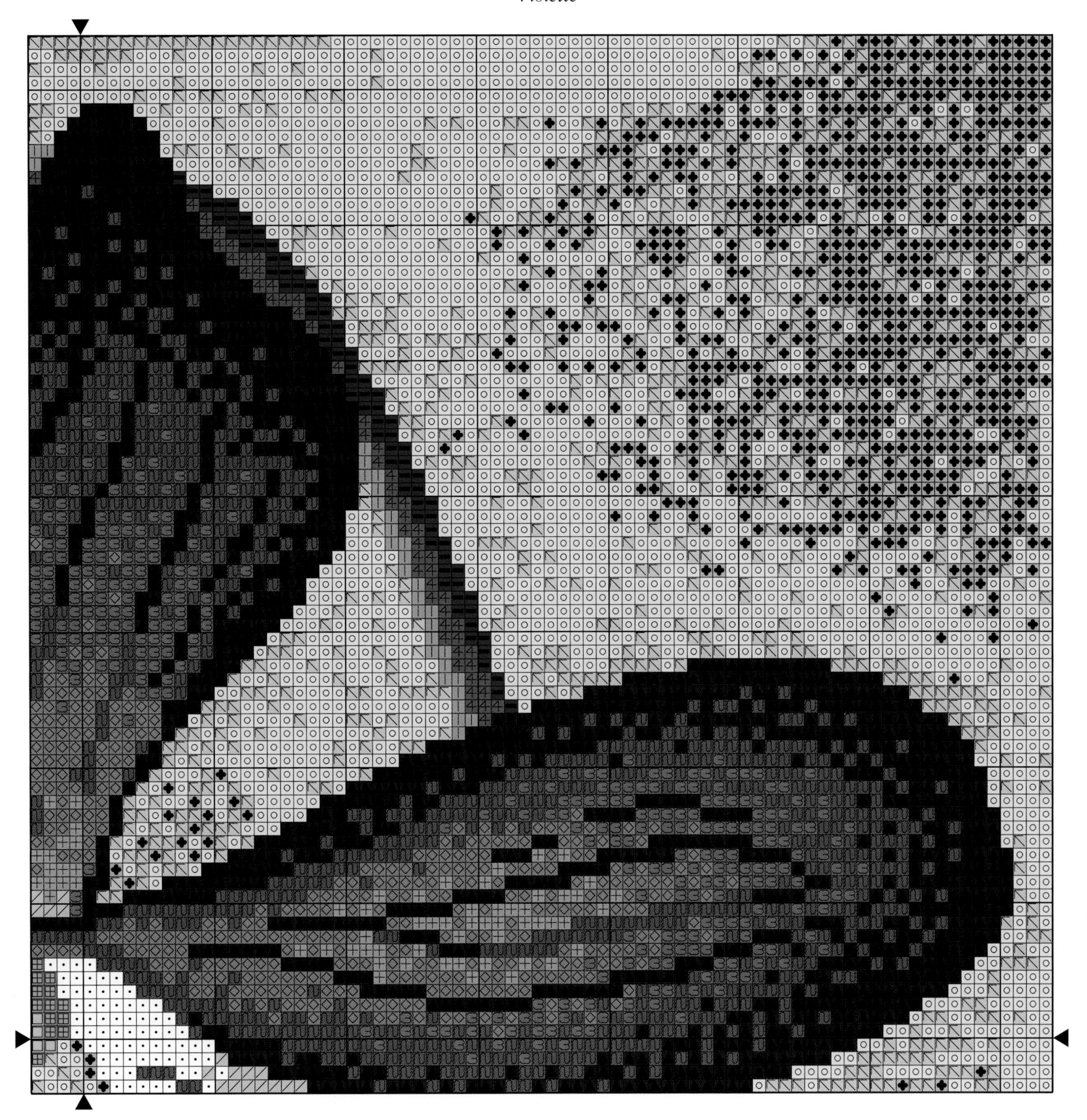

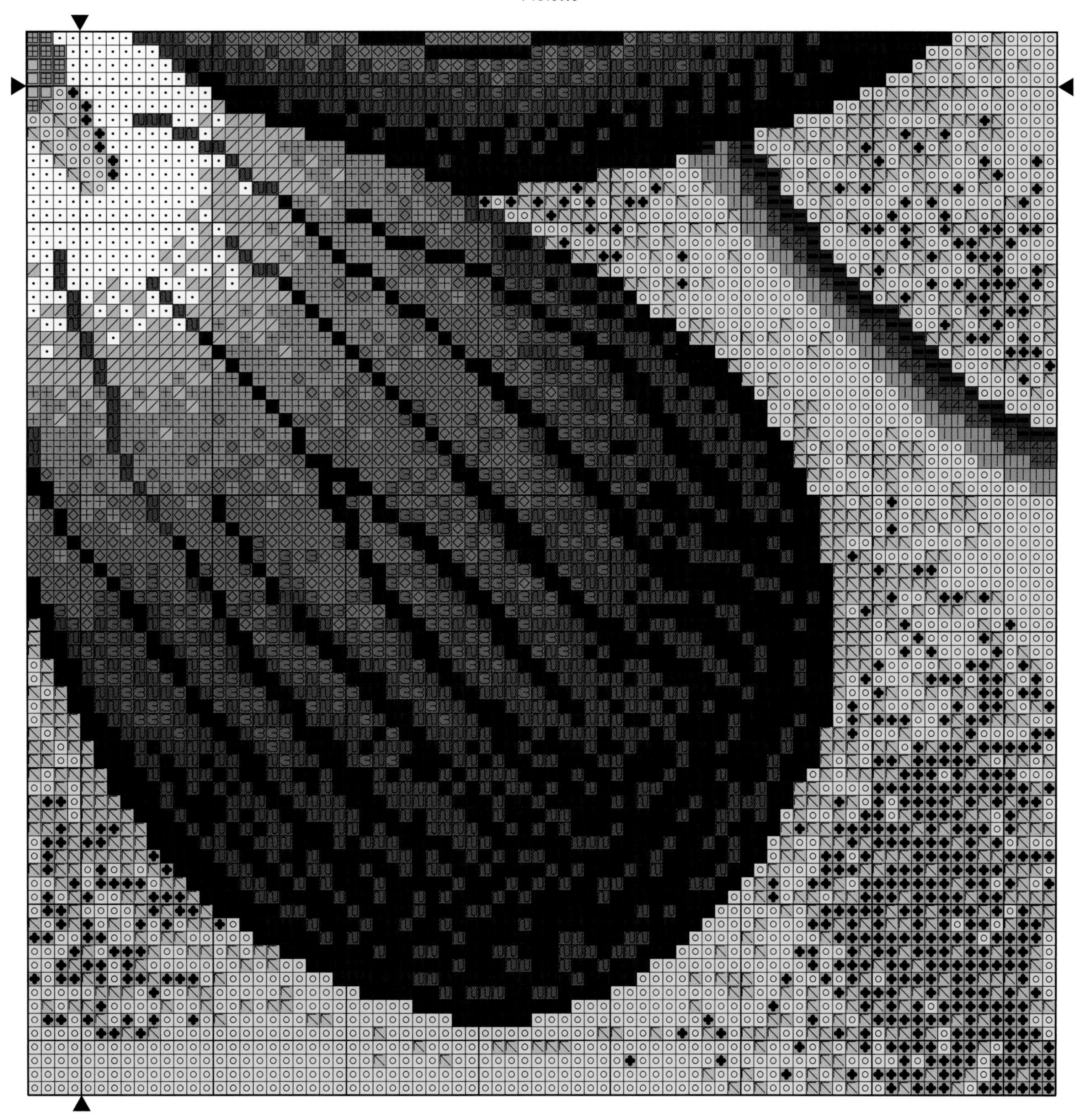

Conseils techniques

LE MATÉRIEL

Pour réaliser les motifs présentés dans cet ouvrage, les fournitures suivantes sont indispensables : une paire de ciseaux, un pique aiguille (pour préparer à l'avance les aiguillées), un dé à coudre, un rouleau de ruban adhésif et un crayon à papier HB.

Travailler dans une ambiance de détente, avec un bon éclairage et confortablement installé, feront de la tapisserie un véritable plaisir.

Les aiguilles

Les aiguilles recommandées pour réaliser ces modèles sont des aiguilles à tapisseries n°s 16/18. Elles ont un chas allongé, sont longues, fortes et sans pointe.

La laine

Toutes les tapisseries ont été réalisées avec de la laine Colbert DMC (Art. 486), présentée sous forme d'échevettes. C'est un fil 100 % pure laine vierge traitée antimite, très résistant, et qui a l'avantage de compter une gamme riche de 460 couleurs.

Le canevas

Il existe différents types de canevas, mais les ouvrages qui figurent dans ce livre sont à réaliser sur le canevas Pénélope double fil n° 20 DMC. Ce canevas existe en deux couleurs, blanc ou « antique », à choisir selon vos préférences.

Cadres et métiers

On trouve plusieurs sortes de cadres et de métiers réglables dans le commerce. Le métier doit être choisi en fonction des dimensions du canevas. Il offre une surface plus tendue, donc plus facile à travailler. Si l'on travaille sans métier, l'ouvrage a tendance à se déformer. Pour fixer le canevas sur un cadre ou un métier, il faut faire coïncider le milieu de chaque côté du canevas avec celui du montant correspondant du cadre, en veillant à ce que le canevas soit tendu uniformément.

La technique

La grille à points comptés

Chaque carré de la grille à points comptés représente un point sur le canevas et chaque point est brodé à l'intersection d'un double fil horizontal et d'un double fil vertical. Il faut compter les fils du canevas et non les trous de celui-ci.

Chaque carré de la grille est imprimé dans la couleur qui se rapproche le plus de celle de la laine à utiliser. Des symboles ont été ajoutés pour éviter toute confusion lorsque certaines teintes de laine sont très proches dans un même dessin. Ils correspondent à l'échantillon de la couleur et au numéro de référence de la laine Colbert DMC.

La préparation du canevas

Avant de commencer l'ouvrage, couper le canevas à la taille du motif, en ajoutant 5 cm de chaque côté. Pour éviter que les bords ne s'effilochent ou que la laine ne s'accroche aux extrémités, coller une bande de ruban adhésif ou coudre une bande de tissu.

Puis, plier le canevas en quatre pour déterminer le centre de l'ouvrage, en marquant au crayon à papier ce point de repère qui correspond au centre du motif et qui est le commencement du travail (pour choisir le point de départ de la tapisserie, une méthode classique consiste à exécuter le premier point au centre, puis progresser peu à peu vers les côtés en se repérant sur les couleurs de la grille). Indiquer sur la bande de protection du bord le haut de l'ouvrage. Pour délimiter votre champ de travail, compter sur la grille du motif le nombre de carrés qu'il y a entre le centre de la grille et le bord supérieur. Compter sur le canevas le même nombre d'intersections de fils à partir du centre, et tracer une ligne horizontale. Faire la même chose pour les autres côtés de l'ouvrage. Vous pouvez ainsi tracer toutes les lignes horizontales et verticales que vous désirez pour reproduire les principales lignes de la grille. Cette technique facilitera votre travail.

Les points

Toutes les tapisseries sont réalisées avec deux points de base : le demi-point et le petit point . Ces deux points ont le même aspect sur l'endroit du travail mais sont différents sur l'envers et ils ne s'exécutent pas de la même manière.

Ces points sont d'une exécution facile et permettent de travailler vite. Chacun est libre de choisir celui qui convient le mieux ou de les utiliser en alternance.

Il est important d'exécuter toutes les rangées de points dans le même sens pour que l'ouvrage terminé offre une surface parfaitement uniforme.

Il faut veiller à donner la même tension au fil tout au long du travail afin d'assurer une certaine harmonie d'ensemble et d'éviter au maximum la déformation de l'ouvrage.

Si l'on est obligé de tourner le travail, il faut veiller à ce que les points soient toujours dans la même direction.

Le demi-point

Réaliser un premier rang horizontal de gauche à droite, en piquant l'aiguille verticalement et en la ressortant en dessous du point d'entrée. Puis, revenir de la même façon en sens inverse sur le rang suivant, de droite à gauche, en piquant l'aiguille de bas en haut. L'envers du demi-point apparaît comme une succession de traits verticaux.

Le petit point

Ce point se travaille en rangs obliques, en commençant au coin supérieur droit et en progressant en diagonale de gauche à droite. Faire le point de bas en haut en piquant l'aiguille à la verticale et en la ressortant deux rangs plus bas, et ainsi de suite jusqu'à la fin du rang. Continuer en remontant de droite à gauche, selon la même méthode, toujours en diagonale mais en piquant l'aiguille à l'horizontale. L'envers du petit point apparaît comme un ensemble de lignes horizontales et verticales. Sur les bords apparaît une série de lignes obliques.

Début et fin d'aiguillée

Avant de commencer le travail, assurez-vous de disposer de toutes les couleurs de laine recommandées et rangez-les dans l'ordre pour pouvoir les retrouver facilement. Vous pouvez aussi préparer vos aiguillées à l'avance en utilisant une longueur raisonnable de laine (40 cm). Les aiguillées trop longues sont plus difficiles à travailler.

Pour faire la première aiguillée, passer l'aiguille du bas vers le haut et tirer de manière à ne laisser que 5 cm de laine sous le canevas. Puis, enfermer ce brin de laine dans quatre ou cinq points afin que le fil soit bloqué. Pour les aiguillées suivantes, faire passer le fil sous quelques points à l'envers du canevas avant de commencer à broder.

À la fin d'une aiguillée, passer l'aiguille sur l'envers du travail et la glisser sous les trois points précédents. Couper le fil au ras du dernier.

Si le fil s'entortille au cours du travail, lâcher simplement l'aiguille et la laisser pendre. La laine se démêlera facilement.

Défaire les points

Si certains points ne sont pas satisfaisants, découdre minutieusement chaque point avec des ciseaux pointus et couper chaque bout de fil. Une fois la zone refaite, bien arrêter les brins de laine détachés sous les nouveaux points. Si un fil du canevas est coupé, rectifier l'erreur avec un petit carré de canevas découpé sur le côté. Le fixer sur l'envers de l'ouvrage, carré contre carré. Les nouveaux points seront brodés sur les 2 épaisseurs du canevas et la retouche sera presque invisible.

La déformation du canevas

Si l'ouvrage terminé est complètement déformé, l'étirer ou le remettre en forme en l'humidifiant sur l'envers pour le fixer ensuite sur une planche en bois, de plus grande taille que l'ouvrage, avec des semences de tapissier ou des agrafes. Mettre l'endroit de la tapisserie contre la planche et tirer légèrement sur le canevas pour lui donner la forme adéquate. Puis laisser sécher sans intervenir en répétant l'opération si nécessaire.

Entretien

En général, le nettoyage à sec est recommandé. Mais vous pouvez également laver les ouvrages à la main. Pour cela, plongez-les dans de l'eau tiède et utilisez un savon très doux, en prenant soin de ne pas les frotter et de ne pas les tordre. Rincez-les abondamment jusqu'à ce que l'eau soit propre, mettez-les à plat et laisser sécher.

Les fournitures DMC sont disponibles dans les merceries,
les grands magasins et les magasins Loisirs & Création.

Pour connaître le nom des distributeurs des produits DMC
des différentes régions, écrire à :

DMC, SERVICE CONSOMMATEURS,
13, rue de Pfastatt, 68057 Mulhouse,
ou téléphoner au 03 89 32 45 28